W9-CRC-353

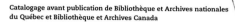

Catalogage avant publication de Bibliothèque et Archives nationales du Québec et Bibliothèque et Archives Canada

Brochu, Yvon

Un ami pour Kiwi

(Mini Ketto; 7)
Pour enfants de 7 ans et plus.

ISBN 978-2-89591-296-5

I. St-Onge Drouin, Julie, 1975-   . II. Titre. III. Collection: Mini Ketto; 7.

PS8553.R6A44 2017   jC843'.54   C2016-941394-2
PS9553.R6A44 2017

Tous droits réservés
Dépôts légaux: 2ᵉ trimestre 2017
Bibliothèque nationale du Québec
Bibliothèque nationale du Canada
ISBN: 978-2-89591-296-5

Conception graphique et illustrations: Julie St-Onge Drouin
Mise en pages: Amélie Côté
Correction et révision: Annie Pronovost

© 2017 Les éditions FouLire inc.
4339, rue des Bécassines
Québec (Québec) G1G 1V5
CANADA
Téléphone: 418 628-4029
Sans frais depuis l'Amérique du Nord: 1 877 628-4029
Télécopie: 418 628-4801
info@foulire.com

Les éditions FouLire reconnaissent l'aide financière du gouvernement du Canada pour leurs activités d'édition.

Elles remercient la Société de développement des entreprises culturelles du Québec (SODEC) pour son aide à l'édition et à la promotion.

Elles remercient également le Conseil des arts du Canada de l'aide accordée à leur programme de publication.

Gouvernement du Québec – Programme de crédit d'impôt pour l'édition de livres – gestion SODEC.

 Imprimé avec des encres végétales sur du papier dépourvu d'acide et de chlore et contenant 10 % de matières recyclées post-consommation.

 MIXTE Papier FSC FSC® C103452

Canadä

IMPRIMÉ AU CANADA/PRINTED IN CANADA

Yvon Brochu
Julie St-Onge Drouin

Un ami pour Kiwi

ÉDITIONS
FouLire o mini KETTO

Chapitre 1

Roulé en boule sur le sofa,
je regarde le ciel par la fenêtre.

L'été, d'immenses ballons de
toutes les couleurs s'y promènent
souvent. Des montgolfières.
Elles prennent leur envol dans
un parc des environs.

— Quel beau spectacle ! dit toujours madame Babin. Si je n'étais pas si malade, Kiwi, j'aimerais faire un tour de montgolfière !

Je m'appelle Kiwi. Je suis un chat.
Un drôle de chat…

Je suis tout vert ! J'ai les oreilles
pointues et toujours bien dressées.
Même quand je suis dans la maison,
j'entends vibrer les aiguilles du sapin
et bourdonner les abeilles sur les
fleurs du jardin. J'ai l'ouïe très fine.

J'ai de longues pattes. Je cours vite, mais jamais je n'attraperais une souris ou un oiseau. Je les aime trop.

Enfin, j'ai une queue souple et puissante. Elle peut devenir un lasso et même soulever des objets lourds. Elle est presque magique !

Non, je ne suis pas un chat ordinaire. Ma vie non plus n'est pas ordinaire !

Un jour, je me suis retrouvé sur
le perron de madame Babin.
J'étais perdu.

– Oh ! Mais que fais-tu là, tout
seul, mon beau ?

Malgré toutes mes différences,
cette vieille dame, seule et malade,
m'a aimé et adopté. Depuis,
elle me traite comme si j'étais
son enfant… ou presque.

Et moi, je tente de mettre le plus
de bonheur possible dans sa vie.

Chapitre 2

La porte s'ouvre.

Je me précipite vers madame Babin. Elle transporte… une cage. À l'intérieur, deux yeux minuscules me fixent.

– Regarde la belle surprise, Kiwi !
J'ai trouvé cet oiseau dans
un marché aux puces, pas loin d'ici.
Il a attiré mon attention. Son chant
est merveilleux. Il me fait penser à
Caruso, un chanteur que j'adore !
D'ailleurs, je lui ai donné son nom.

Je regarde l'oiseau, prisonnier dans sa cage. Pauvre lui !

– Le propriétaire voulait s'en débarrasser, tu imagines ?

Les mains tremblantes, elle dépose la cage sur la table basse, dans le salon.

– Ouf… Cette aventure m'a épuisée !

Elle se laisse tomber dans son fauteuil. Je me roule en boule sur ses genoux. À peine une minute plus tard, madame Babin s'est endormie.

Je m'apprête à faire une sieste moi aussi. Soudain…

J'ouvre l'œil droit et tends l'oreille gauche.

D'où proviennent donc ces sons si mélodieux ?

Je tourne la tête. La musique vient de la cage ! C'est Caruso qui chante !

Madame Babin a raison : son chant est merveilleux.

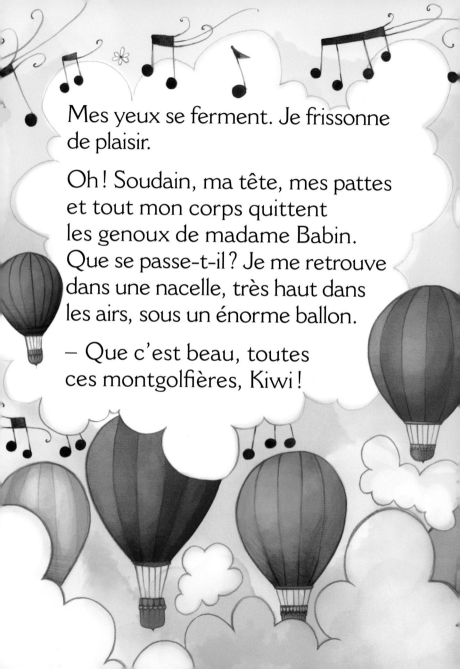

Mes yeux se ferment. Je frissonne de plaisir.

Oh! Soudain, ma tête, mes pattes et tout mon corps quittent les genoux de madame Babin. Que se passe-t-il? Je me retrouve dans une nacelle, très haut dans les airs, sous un énorme ballon.

— Que c'est beau, toutes ces montgolfières, Kiwi!

Incroyable ! Madame Babin me tient dans ses bras. Nous continuons à monter, monter, monter…

– Quel spectacle ! répète-t-elle sans arrêt.

Elle a bien raison ! Moi qui ne peux pas sauter plus haut que la troisième branche de notre sapin, je suis enchanté de voler ainsi dans les nuages.

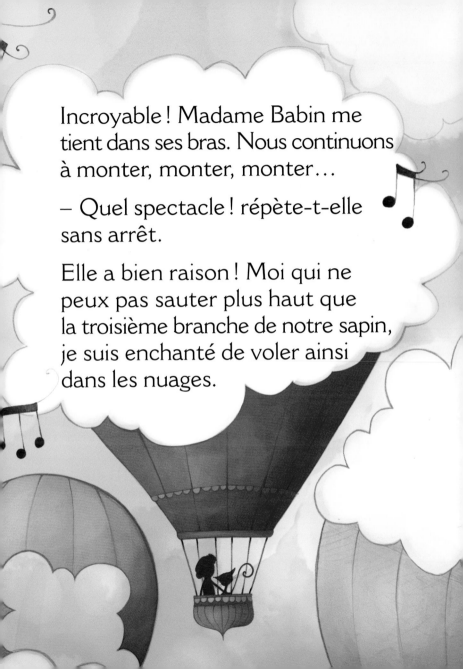

Tout à coup… **BOUM** !
Tout bascule !

Je me retrouve sur le tapis.

– Finie la sieste, Kiwi !

Oups ! D'habitude, madame Babin
dort plus longtemps que ça. J'ai
dû ronronner trop fort sans m'en
rendre compte.

– Je dois sortir Caruso pour
nettoyer l'intérieur de sa cage.

Mon amie se lève et se dirige très lentement vers la cage. Je la suis.

Elle s'arrête et fait demi-tour.

– Pas question que tu fasses peur à Caruso, Kiwi. Je sais que tu ne ferais pas de mal à une mouche… mais lui ne le sait pas ! Tu vas aller faire un tour dehors.

Chapitre 3

Je me faufile entre les fleurs du jardin. Hummm… Les parfums viennent me chatouiller les narines ! Quel bonheur ! J'ai l'impression d'être de nouveau dans un joli rêve.

Tout à coup, un bruit me fait tourner la tête. Ce que je vois me hérisse le poil : Maki, le matou noir de la voisine, renifle sous la fenêtre entrouverte de la cuisine.

Oh non ! Il a repéré l'odeur de l'oiseau !

HOP ! Maki bondit dans la maison.

HORREUR !
Caruso n'est pas dans
sa cage ! Ce malin
matou va le manger !

Sans réfléchir, je saute sur le rebord
de la fenêtre. Je me précipite à
l'intérieur. Je cours vers le salon.
Pas de madame Babin à l'horizon !
Juste un oiseau rouge sur le bras
du fauteuil, insouciant, et un
méchant chat noir qui s'apprête
à l'attraper.

Au moment où Maki prend
son envol… **CHLACK!**…
D'un coup de hanche, je lance
ma queue. Elle entoure Maki comme
un lasso et le fait tomber sur le dos.

– Miaou! hurle-t-il.

Alerté, Caruso s'envole. Il va se
réfugier au sommet de la lampe.

Maki se dégage et se redresse sur
ses pattes. Je lui ordonne :

– Laisse mon ami tranquille !

Mon voisin me jette un regard noir de colère. À l'intérieur, je tremble comme une feuille. Je réussis pourtant à contrôler ma peur et à me tenir droit sur mes longues pattes. D'une voix autoritaire, j'ajoute :

– Retourne chez toi tout de suite ! Sinon, tu auras affaire à moi !

Les yeux méchants de Maki sont toujours fixés sur moi. Il va me sauter dessus !

Tout à coup, le malin déguerpit aussi vite qu'il est venu. Il était temps ! J'étais sur le point de m'effondrer !

Une voix retentit derrière moi :

– Que fais-tu ici, Kiwi ? demande madame Babin, en déposant par terre la cage toute propre. Mais par où es-tu donc entré ?

Elle me conduit doucement jusqu'à la porte.

– Tu restes dehors jusqu'à ce que je vienne te chercher, petit coquin !

Piteux, je retourne lentement dans le jardin.

Madame Babin ferme la fenêtre de la cuisine.

Chapitre 4

Je suis de retour sur le sofa, près de la cage de Caruso.

Madame Babin dit :

— Bon, maintenant, je vais faire une tarte aux pommes.

Hummmm! Ça va sentir bon dans la maison!

Madame Babin s'éloigne.

Une petite voix lance :

– Merci, Kiwi!

Je tourne la tête de tous les côtés. Personne! Il n'y a que l'oiseau…

– Tu m'as sauvé la vie!

Je regarde Caruso.

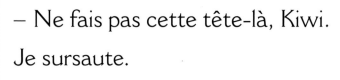

– Ne fais pas cette tête-là, Kiwi.

Je sursaute.

– Mais… tu parles ?

– Oui, comme toi ! Et je chante.

– Je sais, je t'ai entendu.

– Kiwi, connais-tu Caruso,
le chanteur ?

– Non. Mais il devait être vraiment
très bon pour que madame Babin
te donne son nom !

– Merci, tu es gentil…

Je sens le besoin de préciser
à mon nouvel ami :

– Au fait, je ne mange pas
les oiseaux.

– Heureusement ! Dis-moi, ça
ne te fait rien d'être différent
des autres chats ?

– Non. Bien sûr, parfois, on se moque de moi. Je suis vert et madame Babin m'a appelé «Kiwi», imagine! En plus, mes pattes sont très longues et ma queue ressemble à un lasso…

– C'est grâce à ta queue en lasso
que je suis encore vivant! Je ne
me moquerai jamais de toi.

Nous venons tout juste de nous
rencontrer et nous nous parlons
déjà comme de vieux amis.
Je suis enchanté.

– Caruso, j'ai fait le plus beau rêve
de ma vie, tout à l'heure, grâce à
ton chant.

– Alors, je vais chanter pour toi
souvent!

Quel bon ami je me suis fait !
Mais je suis un peu triste de
le voir prisonnier dans une cage.

Soudain, j'ai une idée !

Chapitre 5

À l'aide de ma queue, j'ai trans-
porté la cage de Caruso au bout
du jardin, près du ruisseau. Je
m'empresse d'ouvrir la porte.

L'oiseau ne bouge pas d'une plume.

Je comprends : Caruso est craintif.
Il n'a jamais volé dehors librement.

Je l'encourage :

– Vas-y, Caruso !

Tout à coup… **ZOUM** !
Mon ami s'envole. Il fait de petits
cercles autour de la maison. Puis,
de plus en plus grands. Il se met
à virevolter entre les arbres.
Il prend plaisir à voler.

Je suis tellement content pour lui.

Tout à coup, il passe juste
au-dessus de ma tête, comme
une étoile filante.

– Hi ! Hi ! Hi !

Le coquin repart de plus belle
dans le ciel.

– Youhouuuu !

Je ne le vois plus !

Le temps passe. Je commence à compter les ronds dans l'eau :

– Un, deux, trois…

Je n'ai aucune crainte : Caruso m'a promis de revenir.

– Quatre, cinq, six…

Et s'il aimait trop cette liberté ? Un doute jaillit dans ma tête.

– Sept, huit, neuf…

Je m'en veux. Je suis inquiet. Je me répète : « Confiance, Kiwi ! Il va sûrement reven… »

ZOOOUUUMMM ! L'oiseau se pose sur ma tête.

– Hi ! Hi ! Hi ! Je t'ai fait peur, Kiwi ?

Ouf ! Caruso, c'est un vrai ami !

Je ramène la cage au salon.
Caruso me demande :

– Est-ce que je pourrai voler
souvent ?

– Chaque jour, si tu veux !

– Génial, Kiwi ! En échange,
chaque jour, je chanterai pour toi.

– Et je pourrai encore rêver !

Avec son aide, je vais réussir
encore mieux à égayer la vie
de madame Babin. Je suis
très heureux.

– Je chanterai pour toi, Kiwi, mais à une condition.

Inquiet, je fixe Caruso.

– Tu devras me raconter tes rêves. Ils ont l'air si merveilleux !

Je n'hésite pas un instant.

– Promis, Caruso !

L'oiseau se met à chanter
joyeusement.

Je suis ravi : un nouvel ami,
c'est encore plus extraordinaire
qu'un voyage en montgolfière !

mini
KETTÓ

Illustrateurs : Fil et Julie et Julie St-Onge Drouin

Yvon Brochu a aussi écrit aux éditions FouLire :

- L'Alphabet sur mille pattes - Série les Animaux
- Galoche - Romans et Bandes dessinées
- La Joyeuse maison hantée - Séries Abrakadabra et Urgence
- Schlack !

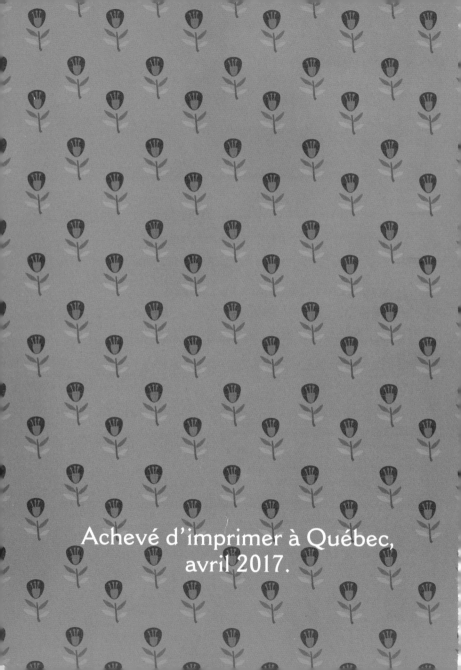

Achevé d'imprimer à Québec,
avril 2017.